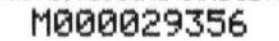

L'ami syrien

Évelyne Siréjols

Direction éditoriale : Béatrice Rego
Marketing : Thierry Lucas
Édition : Aude Benkaki
Couverture et conception maquette : Dagmar
Mise en page : AMG
Illustrations : Lucia Miranda
Crédit photographie couverture : © Daniel Ernst - stock.adobe.com

ISBN: 978-209-038480-2

Avda. de los Artesanos, 6
28760 Tres Cantos - Madrid

ISBN: 978-84-904-9354-0

Dépôt légal : avril 2019

1. Observez...

Observez la photographie de la couverture et le titre de l'ouvrage. Imaginez ce que pourrait raconter cette histoire.

2. À votre avis...

a. Un des personnages de l'histoire est syrien. Comment, à votre avis, un jeune Syrien vit-il dans son pays aujourd'hui ?
b. Pourquoi, à votre avis, pourrait-il venir en France ?
c. Pensez-vous qu'il est facile d'aller étudier dans un pays étranger ?

3. Regardez...

Observez les mots suivants et entourez ceux qui se réfèrent à l'amitié :
ennemi – solidarité – égoïsme – partage – bienveillance – aide – discussion – dispute – individuel.

PERSONNAGES

Adrien Le Coëdec :
lycéen breton, 15 ans

Pierre et Juliette Le Coëdec :
les parents d'Adrien, éleveurs de bovins en Bretagne, 40 et 38 ans

Idriss Saadan :
lycéen réfugié syrien, 17 ans

Souad Saadan :
la petite sœur disparue d'Idriss, 15 ans

CHAPITRE 1

Un garçon discret

Adrien, jean, sweat noir et baskets vertes flambant neuves, sac dans le dos, se dirige vers l'arrêt du bus sur la place de l'église de **Trévou**. Brrr... il fait un peu froid à 7h10. Quelle idée de commencer les cours à 8 heures ! Petit pincement au cœur : les vacances sont finies et il va affronter pour la première fois le lycée : il rentre en seconde. Il a pris l'option arts plastiques, c'est ce qui lui plaît. Plus tard, il voudrait être dessinateur de BD.

Arrivés au lycée, les élèves se retrouvent devant le portail, s'embrassent ou se serrent la main, puis rentrent dans l'établissement où l'organisation des classes est affichée.

Adrien rejoint sa salle et madame Le Drian, la prof de français, les accueille par un long discours de rentrée.

Adrien sent l'ennui le gagner et se met à **griffonner** tout en observant les autres élèves. Il adore dessiner les physionomies, les petits gestes. Les filles sont plutôt mignonnes, très attentives comme toujours.

Trévou : *petit village de Bretagne.*
griffonner : *dessiner.*

Deux tables plus loin, il remarque un garçon habillé d'une façon bizarre : chemise blanche et pantalon de velours. D'où il sort, celui-là ? Sûrement un garçon de la campagne, mais ses parents doivent être vieux. Heureusement, ses parents à lui, quoique fermiers, sont jeunes et modernes. D'ailleurs, il s'entend plutôt bien avec eux. Son père, Pierre, est éleveur ; il a cinquante vaches laitières, ce qui fait beaucoup de travail. Il voudrait bien qu'Adrien fasse un **BTS** d'agronomie pour reprendre la ferme plus tard, mais **ce n'est pas son truc**. C'est là un sujet de discorde entre eux. Sa mère, Juliette, est vraiment cool : tous les samedis, elle le conduit à un cours de dessin.

Trois semaines plus tard, **le courant passe** dans la classe et Adrien s'y sent bien. Il a repéré une fille sympa, Gaëlle, une petite rousse qui va aussi au cours de dessin. Adrien n'a pas encore trouvé l'occasion de parler au garçon étrange, qui paraît plus âgé que les autres. Il s'appelle Idriss Saadan. Très réservé, il parle peu. Il est toujours seul aux pauses, à la cantine. À la fin des cours, il disparaît. Il semble très concentré mais peut-être rêve-t-il ? Pourtant quand un prof l'interroge, on voit bien qu'il suit.

BTS : *Brevet de Technicien Supérieur, diplôme après le BAC.*
ce n'est pas son truc : *ça ne l'intéresse pas.*
le courant passe : *l'ambiance est bonne.*

drien sent l'ennui le gagner et se met à griffonner
ut en observant les autres élèves.

Ce matin, il y a foot et il **bruine**. Adrien est gardien de but, il joue dans la même équipe qu'Idriss. Un tir arrêté, puis deux. Adrien est très fier de ses actions, il est trop fort ! Mais en voulant bloquer le ballon une nouvelle fois, il saute et retombe de tout son long dans la boue. Impossible de se relever, sa cheville lui fait trop mal. Idriss, plus rapide que les autres, arrive à son secours pour le relever. Adrien prend appui sur lui et le professeur de sport les envoie à l'infirmerie.

L'infirmière a mis une bande sur la cheville d'Adrien puis est sortie pour prévenir ses parents. Les deux garçons sont plutôt contents d'être au chaud. Adrien engage la conversation :

– Merci de m'avoir aidé, c'est sympa ! Dis, tu cours drôlement vite, toi.

– Oui. J'aime courir, ça me fait du bien.

– Au fait, pourquoi tu files toujours si vite après les cours ?

– J'ai un gros retard et je dois le rattraper.

– Mais quand même, Idriss, tu ne travailles pas tout le temps ? Le soir, le week-end, tu fais quoi ?

Idriss lui explique qu'il surfe sur internet, lit, regarde un peu la télé et joue au foot le week-end, avec les autres.

Intrigué, Adrien enchaîne :

bruiner : *pleuvoir légèrement.*

– C'est qui les autres, tes frères, tes voisins ? Tu habites où ?

– Dans un foyer, à la sortie de Lannion, on est une quinzaine de garçons.

– Ah bon ? Et ta famille, elle est où ?

– En Syrie, mais... je n'ai pas envie de parler de ça.

Silence gêné. Adrien sent qu'il a été maladroit. Alors il reprend :

– Moi, j'habite à Trévou, tu connais ?

– Non, c'est où ?

– Pas très loin. Mes parents ont une ferme. Ils sont éleveurs.

– Alors, tu habites à la campagne au milieu des champs ? Quelle chance !

– Chance, chance... Moi, je n'aime pas trop. Je préfèrerais vivre en ville, c'est plus sympa.

– Moi, la campagne, ça me **manque** !

– Écoute Idriss, un jour, tu viendras à la ferme. Je te ferai visiter et tu rencontreras mes parents.

– Peut-être, on verra.

L'infirmière est de retour.

– Alors le blessé, ça va mieux ? On a appelé votre mère. Elle vient vous chercher. Idriss, vous pouvez l'accompagner dans le hall ?

– Oui, madame.

– Au revoir madame, et merci. (À Idriss) Je m'appuie sur toi, d'accord ?

Les deux adolescents rejoignent le hall. La mère d'Adrien ne tarde pas à arriver.

– Mon pauvre chéri, j'espère que tu n'as rien de grave. Je t'emmène à la clinique.

– Ça va m'man, une seconde : je te présente Idriss. Il m'a aidé à me relever et puis il m'a tenu compagnie à l'infirmerie. Trop cool !

– Bonjour Idriss. C'est très gentil de ta part.

– Au revoir madame. Salut Adrien.

manquer : *ressentir l'absence et en être triste.*

COMPRENDRE

1. Cochez les informations vraies.

a. Le début de l'histoire se passe :
- à la ferme des Le Coëdec ☐
- au lycée, le jour de la rentrée ☑
- dans un stade, après les cours ☐

b. Adrien s'intéresse beaucoup :
- à l'élevage de ses parents ☐
- au dessin ☑
- aux filles de la classe ☑

2. Répondez.

a. Pourquoi Adrien remarque-t-il Idriss ?

il habillé d'un façon bizzare

b. Comment se comporte Idriss au lycée ?

Il est timide et il ne parle pas beaucoup

c. À quelle occasion Adrien commence-t-il à communiquer avec Idriss ?

Quand in se fait mal à la cheville.

3. Vrai ou faux ?

À l'infirmerie, qu'apprend Adrien sur la vie d'Idriss ?

	V	F
a. Il vit dans sa famille à la sortie de la ville.	☐	☑
b. Il habite dans un foyer avec d'autres garçons.	☑	☐
c. Il aime beaucoup vivre en ville.	☐	☑
d. Sa famille vit en Syrie.	☑	☐
e. Il adore la vie à la campagne.	☑	☐

Le soir, il raconte à son père ses exploits au foot, sa chute, puis sa rencontre avec Idriss.

CHAPITRE

2 Confidences

Adrien n'a rien de sérieux, seulement une petite entorse. Il devra porter une bande pendant trois semaines. Le soir, il raconte à son père ses exploits au foot, sa chute, puis sa rencontre avec Idriss.

– Tu sais p'pa, Idriss devrait te plaire : il trouve que j'ai beaucoup de chance d'habiter à la campagne.

– Depuis le temps que je te le dis… Voilà un garçon plein de bon sens. Tu devrais l'inviter à passer un week-end à la ferme, si tu veux, Adrien ?

– Oui, ça lui ferait sûrement plaisir. Il habite dans un foyer à Lannion. C'est tout ce que je sais de lui.

***

Les deux garçons se rapprochent peu à peu et juste avant les vacances de la Toussaint, Adrien demande à Idriss :

– Ça te dirait de passer un week-end chez moi pendant les vacances ?

– Bonne idée, mais il faut que j'obtienne la permission du foyer. Je te dirai.

La permission est accordée et le samedi suivant, Juliette et Adrien viennent chercher Idriss.

– Bonjour Idriss, bienvenue à la ferme, dit Pierre. Tu connais la vie à la campagne ?

– Oui monsieur, mon père cultive les oliviers en Syrie. Enfin, cultivait...

Adrien fait la visite guidée : les étables, la **salle de traite**, le local réfrigéré, la **grange**. Idriss est ému par cette visite et Adrien s'en rend compte.

– Ça va, Idriss ? Tu es tout pâle...

– Oui, ça me fait tellement bizarre d'être dans une ferme. Ça me rappelle chez moi, mais c'est aussi bien différent, si moderne, et tes parents...

Idriss ne finit pas sa phrase, des larmes plein les yeux. Adrien s'approche de son nouvel ami.

– Tu sais, Idriss, tu peux me parler. Quelquefois, c'est bon de dire ce qu'on a sur le cœur.

Idriss regarde son copain droit dans les yeux :

– Tu as raison, je vais tout te raconter. Je vivais près d'Alep, avec mes parents et Souad, ma jeune sœur. Mon père cultivait des oliviers, on avait une grande ferme, et puis la guerre a éclaté. C'était affreux et ça, je ne trouve pas les mots pour le dire. La ferme a été incendiée, mes parents massacrés.

salle de traite : *lieu où l'on trait les vaches (action de récupérer le lait).*
grange : *lieu où on stocke le fourrage (nourriture) des bêtes.*

Quand je suis rentré du collège le soir, il ne restait de la ferme que des cendres et ma petite sœur avait disparu. Je l'ai cherchée toute la nuit, en vain. Alors j'ai compris que j'étais seul, et j'ai paniqué. Le lendemain, je suis allé à Alep chez un cousin. Des bandes armées **patrouillaient** dans toute la ville, on entendait des bombardements, des files de gens partaient, emportant dans l'urgence quelques affaires. Les parents d'un copain ont décidé de fuir vers la frontière turque ; ils m'ont proposé de partir avec eux et je les ai suivis...

patrouiller : *circuler (langage militaire).*

Alors, on a voyagé jusqu'à Istanbul : ça a duré plusieurs mois ; on a beaucoup marché, on a pris des bus, des personnes nous ont emmenés en camion. En chemin, on dormait dans des fermes, en échange de travaux agricoles, et puis on a croisé d'autres personnes qui fuyaient aussi et les parents de mon ami ont choisi de partir vers la Bulgarie. Moi, je voulais aller en France parce que j'avais un peu étudié le français au lycée. À Istanbul, j'ai été hébergé pendant plusieurs mois dans un camp de réfugiés et puis j'ai rencontré une famille franco-turque qui m'a beaucoup aidé.

Adrien l'interrompt, emporté par l'histoire :

– Et comment tu es arrivé à Lannion ?

– Une **ONG** qui s'occupait des réfugiés mineurs orphelins m'a pris en charge plusieurs mois, puis j'ai obtenu un **laissez-passer** pour la France. Après un très long voyage, je suis arrivé à Paris et on m'a envoyé dans le centre de Lannion, chargé d'accueillir des jeunes isolés. Voilà mon histoire. Ça m'a fait du bien de te raconter tout ça.

– Alors franchement, tu es trop fort. Quel courage ! Et ta sœur, tu n'as aucune nouvelle ?

– Non, mais je suis sûr qu'elle est vivante, le contraire serait trop horrible.

ONG : *organisation non gouvernementale.*
laissez-passer : *sorte de visa.*

Les deux adolescents sont interrompus par la mère d'Adrien qui les appellent :

– Les garçons, à table !

Au cours du repas, Idriss dit combien la campagne lui manque. Pierre lui propose alors de faire le tour des pâturages en tracteur.

Le lendemain, Idriss donne un coup de main aux travaux de la ferme et Pierre l'invite alors à revenir de temps en temps, espérant secrètement qu'Idriss donnera envie à Adrien de s'intéresser davantage à la ferme.

COMPRENDRE

1. Cochez les informations vraies.

a. La première visite d'Idriss chez les Le Coëdec se passe :
- un soir de semaine
- pendant les vacances de Noël
- aux vacances de la Toussaint

b. La première rencontre avec la famille se passe :
- plutôt mal : Idriss ne parle pas.
- bien : les parents font un bon accueil à Idriss.
- moyennement : Idriss refuse de parler de lui.

c. Chez les Le Coëdec, Idriss est ému :
- de l'accueil qu'on lui fait.
- de se retrouver dans une ferme.
- par ses souvenirs de sa vie en famille en Syrie.

2. Remettez dans l'ordre le récit.

a. Idriss vivait dans une ferme avec sa famille.
b. Il a été hébergé dans un centre de réfugiés à Istanbul.
c. La guerre a éclaté.
d. Il est arrivé à Paris.
e. Il est parti avec d'autres réfugiés en Turquie.
f. Il a trouvé refuge à Alep chez un cousin.
g. Il a choisi de venir en France.
h. Ses parents ont été tués.
i. Sa jeune sœur a disparu.
j. On l'a envoyé au foyer de Lannion.
k. Il a obtenu un laissez-passer pour la France.
l. Il a fait un voyage très long et difficile.

CHAPITRE 3 Noël à la ferme

Le trimestre s'écoule et les vacances de Noël approchent. Désormais, Idriss et Adrien sont devenus inséparables. Adrien, plus passionné que jamais par le cours d'arts plastiques, passe son temps à griffonner ; lui qui ne montre jamais ses croquis, il les partage avec son ami. Ils jouent au foot avec les autres garçons, et Idriss découvre la musique qu'ils aiment. Gaëlle, très patiente, lui explique les particularités de la culture bretonne. Ils déjeunent ensemble à la cantine, prennent de temps en temps un café à la sortie du lycée. Idriss, moins réservé, quitte son air sérieux et son visage s'éclaire alors d'un sourire timide.

Parfois, le dimanche, Idriss vient à la ferme. Juliette apprécie beaucoup l'adolescent. Pierre, lui aussi, est totalement séduit par Idriss, qui montre un véritable goût pour la vie rurale. Il apprend très vite à nettoyer l'étable et nourrir les bêtes. Pierre l'initie également à la traite des vaches et lui explique les rudiments du métier d'éleveur. Adrien bénéficie aussi de ses enseignements, ce qui ravit son père.

Idriss, qui est d'un naturel doux, parle aux vaches, souvent en arabe, et elles ont l'air d'apprécier.

Adrien ne pose plus de question à son ami, mais il pense souvent à sa solitude et à son parcours tellement dramatique. Il se dit que si Idriss a envie de se confier, il le fera.

Pour les vacances de Noël, Juliette et Pierre suggèrent à Adrien d'inviter Idriss quelques jours et le lendemain, Adrien s'empresse de lui en parler.

– Ça te dirait de venir quelques jours chez nous ? On passerait Noël ensemble. Il y aura une partie de ma famille, mes cousins, et sûrement aussi ma grand-mère. Elle est drôle et elle parle parfois breton.

Idriss, très touché, remercie son ami mais lui explique que Noël est une fête de famille et que, de plus, il n'est pas chrétien.

– Ça, on s'en fiche. Et puis justement, tu n'as pas de famille alors un de plus, ce n'est pas un problème. Tu verras, avec mes cousins, on fera des jeux. Et mon oncle a un bateau de pêche ; si le temps le permet, on ira peut-être en mer. Ça te dirait ? De toute façon, tu ne peux pas refuser : mes parents seraient très déçus si tu ne venais pas. Mon père t'a complètement adopté et ma mère t'adore.

– Ce serait super et tes parents sont tellement gentils avec moi. Je vais voir avec le directeur du centre si c'est possible.

Une semaine plus tard, devant le lycée, les deux amis se retrouvent ; Idriss, un grand sourire aux lèvres.

– Je peux venir une semaine pendant les vacances !

– Génial ! Je vais annoncer ça aux parents, ce soir.

Le soir, Adrien s'empresse de rapporter la bonne nouvelle. Juliette commence à chercher une idée de cadeau pour Idriss.

– Qu'est-ce qu'on pourrait lui offrir, tu as une idée, Adrien ?

– Je pense qu'il aimerait bien un sweat à capuche comme le mien. Il l'adore et je crois qu'il n'a pas beaucoup de **fringues**.

– Bonne idée, on ira ensemble le choisir.

***

Dès le début des vacances, Juliette, Adrien et Idriss, préparent la maison ; les garçons ont pour mission de mettre les décorations de Noël. Juliette, en cuisine, prépare le menu du réveillon : huîtres, poisson à l'armoricaine, bûche aux marrons. La soirée du réveillon est une réussite et après le dîner, ils jouent tous ensemble au Monopoly avec les cousins, les parents, les oncles et tantes, et la grand-mère qui **essaime** son français de mots bretons. Elle en enseigne d'ailleurs quelques-uns à Idriss, qu'elle a pris en affection. Au moment de l'échange des cadeaux, Idriss distribue des rouleaux de papier entourés de rubans de couleur : il a préparé des calligraphies de poèmes persans avec, au dos, la traduction en français. Chaque convive a son rouleau et tous s'extasient de la beauté de l'écriture. Idriss reçoit un beau sweat bleu et

fringue (fam.) : *vêtement.*
essaimer : *ponctuer, utiliser de temps en temps des mots.*

s garçons ont pour mission de mettre
s décorations de Noël.

Adrien une magnifique boîte de crayons de couleur. Tout le monde découvre son cadeau, quelle magie, Noël !

Le surlendemain, les garçons partent avec Pierre en mer, sur le **chalut** de Paul, l'oncle pêcheur. Idriss adore la promenade. Les vacances passent ainsi à une vitesse folle, partagées entre les devoirs, les travaux de la ferme et la musique.

***

Un matin de février, Idriss, l'air à la fois mystérieux et excité, interpelle Adrien :

chalut : *bateau de pêche.*

– Écoute. C'est incroyable mais hier, en me connectant à un réseau social où il est question des réfugiés syriens, je crois que j'ai vu ma sœur Souad.

– Vraiment, tu es sûr que c'est elle ?

– J'ai reconnu son visage même si elle a grandi. Elle est très maigre mais son regard est le même.

– Mais alors, elle est où ?

– À Lampedusa, dans un camp de réfugiés. Ça veut dire qu'elle est arrivée en Europe.

– Lampedusa ?

– C'est une petite île italienne, au large de la Sicile. Il y a beaucoup de réfugiés là-bas qui sont arrivés dans des barques. Quand j'étais à Paris, j'ai rencontré des réfugiés syriens et soudanais qui étaient aussi passés par cette île.

– Trop bien ! Alors elle sera bientôt avec toi, à Lannion...

– Oh non ! Apparemment, c'est très difficile de quitter l'île ; les réfugiés sont dans des camps, tout le temps surveillés. Les gardes côtes sont vigilants, ils empêchent les réfugiés de finir la traversée vers l'Italie ou la France. Je suis si heureux qu'elle soit vivante, mais aussi tellement inquiet pour elle.

– Tu devrais en parler avec le directeur du centre. Il aura peut-être une idée.

– Tu as raison, mais je voulais te le dire en premier.

COMPRENDRE

1. Cochez les informations vraies.

Les amis du lycée partagent avec Idriss certains loisirs ; lesquels ?

a. le foot ☑
b. la musique ☑
c. les jeux en ligne ☐
d. les sorties au café ☑
e. les discussions sur la vie en Bretagne ☐
f. le dessin ☑
g. le cinéma ☐

2. Vrai ou faux ?

	V	F
a. Juliette n'apprécie pas trop Idriss.	☐	☑
b. Pierre initie Idriss aux travaux de la ferme.	☑	☐
c. Idriss a peur des vaches.	☐	☑
d. Adrien pose beaucoup de questions à son ami.	☐	☑
e. Adrien invite son ami pour Noël.	☑	☐
f. Idriss accepte immédiatement.	☐	☑
g. Pendant le réveillon de Noël, chacun reçoit un cadeau.	☑	☐
h. Idriss a préparé des gâteaux de son pays pour toute la famille.	☐	☑
i. Ils sortent en mer sur le bateau de l'oncle.	☑	☐

3. Entourez la bonne réponse.

Quelle grande découverte fait Idriss en février ?

a. Souad est : *en Syrie – en Italie*
b. Elle est : *libre – dans un camp gardé*
c. Idriss est : *inquiet – malheureux*

Le jeune homme raconte son histoire. Pierre, Juliette et Adrien l'écoutent, tous très bouleversés.

CHAPITRE 4 Bonnes nouvelles

Le dimanche suivant, Juliette et Adrien viennent chercher Idriss et le jeune homme raconte son histoire. Pierre, Juliette et Adrien l'écoutent, tous très bouleversés par la perte des parents, la disparition de la sœur, le long périple d'Idriss jusqu'à son arrivée à Paris, puis à Lannion. Au total, presque deux années se sont écoulées, deux années très éprouvantes de solitude, de tristesse, de fatigue et de faux espoirs. Quand Idriss rapporte qu'il a cru voir sa sœur sur un réseau social dans un camp à Lampedusa, les parents expriment aussitôt leur joie :

– C'est formidable, tu vas retrouver ta sœur. On est si heureux pour toi. Parle-nous un peu d'elle.

– Souad a deux ans de moins que moi, elle a quinze ans maintenant. Elle est blonde et a de grands yeux bleus ; on ne se ressemble pas du tout. Quand je suis parti, elle allait encore à l'école du village. C'était une petite fille joyeuse et très inventive. Elle adorait fabriquer des jouets pour les enfants du village.

Très ému, Idriss continue :

– Je suis tellement content qu'elle soit vivante.

Le père d'Adrien prend la parole après quelques secondes de silence :

– Idriss, on va t'aider à la retrouver ; Juliette va chercher des informations auprès de l'**OFPRA** et d'associations. Tu verras, vous vous retrouverez bientôt.

– Et moi, dit Adrien, j'ai bien envie de voir cette petite Syrienne, blonde aux yeux bleus !

– Vous êtes tellement gentils avec moi, tous les trois, et vous me redonnez courage. Merci mille fois pour tout ce que vous faites pour moi. Et toi Adrien, tu es mon ami pour toujours, comme un frère.

***

Idriss assiste aux cours mais le cœur n'y est plus. Il semble profondément préoccupé par le sort de sa sœur. Adrien et ses amis font de leur mieux pour le soutenir et lui changer les idées.

Maintenant, Idriss vient souvent passer le week-end chez les Le Coëdec et Pierre devine son désir de travailler à la campagne. Il a déjà une petite idée en tête mais préfère attendre pour la dévoiler. Juliette, très attachée à Idriss, recherche des informations

OFPRA : *Office français de protection des réfugiés et apatrides.*

iette, très attachée à Idriss, recherche
s informations concernant Souad.

concernant Souad. Elle découvre sur internet une plateforme en ligne dédiée à la recherche de réfugiés disparus, maybehere.org, et très excitée par sa découverte, en informe Idriss un dimanche de mars. Elle lui explique le fonctionnement de la plateforme et comme c'est en anglais, elle l'aide à s'inscrire et à donner le maximum d'informations possibles concernant sa sœur, la date et le lieu de sa disparition, une description détaillée de son physique.

Néanmoins, Idriss est de plus en plus inquiet, il ne retrouve aucune trace de Souad. Adrien essaie de le réconforter :

– C’est normal. Maman continue les recherches. Maintenant que ta sœur est à Lampedusa, vous vous retrouverez, c’est sûr, mais tu dois être patient.

– Non, il peut encore lui arriver beaucoup de choses terribles. Elle peut se noyer, prendre un bateau qui n’arrivera jamais, comme tant d’autres personnes disparues en mer. Je fais des cauchemars toutes les nuits. C’est affreux !

– Calme-toi, Idriss, et essaie d’être optimiste. **Tu t’en es bien sorti**, alors pourquoi pas elle ?

***

Les jours, les semaines passent. Juliette reçoit des réponses de la plateforme qui ne correspondent pas au profil de Souad mais elle n’en dit rien à Adrien ni, bien sûr, à Idriss. Et puis un jour d’avril, elle reçoit une alerte : une jeune fille syrienne, âgée de 15 ans, est arrivée dans un centre d’hébergement pour mineurs à Marseille. Sa photo montre un visage **émacié**, d’immenses yeux clairs et le nom en légende est Souad Saadan. Juliette explose de joie et s'empresse d'en parler à Pierre :

– Je crois bien que j’ai retrouvé la trace de Souad ! Regarde, tu vois, ce profil correspond : le nom, l’âge, le lieu et la date approximative de sa disparition.

tu t’en es bien sorti : *tu as réussi.*
émacié : *très maigre.*

De plus, elle ressemble à la description qu'Idriss a faite de sa sœur. Cette fille est arrivée en France ; elle se trouve maintenant dans un centre d'hébergement pour femmes et enfants, à Marseille.

– Tu es une femme fantastique et je n'en ai jamais douté. Idriss viendra dimanche et nous lui annoncerons la bonne nouvelle.

– Je suis certaine qu'Adrien, dès qu'il sera au courant, se chargera de tout rapporter à Idriss.

– Tu as raison, alors soyons prudents et attendons un peu.

COMPRENDRE

1. Cochez les phrases vraies.

a. Les parents d'Adrien réagissent peu à l'histoire d'Idriss.
b. Idriss perd courage et son moral baisse.
c. Adrien reste optimiste et réconforte son ami.
d. Idriss s'est inscrit seul sur une plateforme pour retrouver sa sœur.
e. Les nouvelles concernant Souad sont pessimistes.

2. Répondez.

a. Quelles sont les craintes d'Idriss ?

sa sœur disparue en mer

b. Pourquoi les parents n'informent-ils pas immédiatement Adrien de la bonne nouvelle ?

Ne pas lui donner de faux espoirs

3. Entourez la bonne réponse.

Choisissez la bonne information concernant Souad :

a. Souad a *13 ans – 15 ans – 16 ans*.
b. Elle *ressemble beaucoup – ne ressemble pas du tout* à Idriss.
c. Elle *va bientôt arriver – est arrivée* dans un centre à Marseille.

CHAPITRE 5

L'attente

Quelques jours plus tard, les parents, très impatients de partager la bonne nouvelle avec Adrien, lui confient qu'ils ont peut-être retrouvé la piste de Souad, sans donner trop de détails. Ils ajoutent qu'il vaut mieux attendre pour en parler à Idriss, mais Adrien s'empresse de le faire dès le lendemain.

Idriss, en apprenant cette nouvelle, est fou de joie. Un large sourire illumine son visage ; il est tellement heureux à l'idée de retrouver sa sœur chérie, la seule famille qui lui reste ! Il a pleinement confiance et sait que les Le Coëdec vont l'aider.

De son côté, le lendemain matin, Juliette appelle le centre d'hébergement de Marseille. On lui apprend alors que cette jeune fille a disparu la semaine dernière, qu'elle s'est enfuie du centre avec une autre Syrienne un peu plus âgée. **Assommée**, Juliette ne sait que dire et laisse ses coordonnées, en insistant pour être informée au cas où Souad reviendrait au centre d'hébergement.

assommé : *ici, déprimé, abattu.*

Juliette est tellement déçue ! Elle qui se réjouissait tant d'avoir retrouvé Souad... Que faire ? Consternée, elle en parle avec Pierre et ils réfléchissent ensemble... Ces deux jeunes filles n'ont pas de papier, pas d'argent, pas de vêtement et ne parlent probablement pas français. Que peut-il leur arriver ? Où peuvent-elles se cacher, dormir, trouver de la nourriture ? Ils postent un avis de recherche avec la photo de Souad et une description la plus détaillée possible, ainsi que leurs coordonnées, sur le site dédié aux réfugiés et aussi sur internet. De cette façon, les commissariats de police seront avertis, ainsi que le **Samu social** et les centres d'accueil des **SDF** et des personnes en difficulté.

Il faut maintenant annoncer la mauvaise nouvelle à Adrien...

Au retour du lycée, Adrien se précipite au salon pour retrouver sa mère.

– Alors m'man, on sait où est Souad ?

– Écoute, Adrien, l'histoire se complique : Souad est bien arrivée en France ; elle a été hébergée dans un centre d'accueil à Marseille mais elle l'a quitté avec une jeune Syrienne, la semaine dernière. Donc on ne sait pas où elle est maintenant, mais

Samu social : *organisme d'aide aux personnes les plus démunies.*
SDF : *Sans domicile fixe.*

s deux jeunes filles n'ont
s de papier, pas d'argent.

on va la chercher et je suis convaincue qu'on va la retrouver.

– Quelle bêtise ! Mais pourquoi elle a fait ça ?

– Elle espérait sûrement s'en sortir et profiter de sa liberté enfin retrouvée, après des mois à Lampedusa. Je peux comprendre. Tu n'as rien dit à Idriss, j'espère ?

Gêné, Adrien reprend :

– Euh… je lui ai juste dit que tu faisais des recherches et que tu avançais bien, que tu avais une piste.

– Tu n'aurais pas dû. Tu imagines sa déception s'il apprend qu'on a perdu sa trace ?

– Alors, tu vas faire quoi ? Tu abandonnes ?

– Sûrement pas ! On a discuté avec ton père et on a envoyé des fiches de signalement de Souad sur plusieurs sites internet, mais il faut être patient, ça risque d'être long. Explique seulement à Idriss que les recherches continuent, mais que ça prend du temps et surtout, promets-moi de ne rien dire qui pourrait le choquer davantage. Il a déjà subi tellement d'épreuves, le pauvre.

Idriss est inquiet de ne pas avoir de nouvelles. Tous les matins, il questionne Adrien qui lui fait invariablement la même réponse : « Rien pour le

riss est inquiet de ne pas
oir de nouvelles.

moment, mais ça avance. » Le moral d'Idriss baisse, il a perdu le sourire et s'intéresse de moins en moins à la vie scolaire. Il n'a plus goût à rien : il se réfugie souvent dans un coin, s'isole, et ne parle presque plus aux autres copains du lycée. Il refuse aussi de venir à la ferme le week-end comme il en avait pris l'habitude et se renferme de plus en plus sur lui-même.

Les semaines passent, Juliette ne se sépare jamais de son téléphone portable au cas où on l'appellerait au sujet de Souad. Cette jeune fille, qu'elle n'a jamais vue, fait maintenant partie de sa vie. Elle, d'habitude joyeuse et optimiste, devient triste et tendue, tout comme Pierre qui est très inquiet aussi. L'absence d'Idriss le touche beaucoup. Quant à Adrien, il essaie de faire bonne figure devant Idriss car il voit bien que son ami est complètement désespéré.

Un après-midi de mai, le téléphone de Juliette sonne : le Samu social de Lyon l'informe qu'une jeune Syrienne correspondant à la photo et à la description faite dans l'avis de recherche est arrivée au centre. Juliette se précipite pour informer Pierre de la bonne nouvelle et ils prennent ensemble la décision suivante : samedi, accompagnée d'Idriss et Adrien, elle prendra le premier train pour Lyon afin de rencontrer la jeune fille.

COMPRENDRE

1. Cochez les phrases vraies.

a. Souad est installée dans un centre d'accueil à Marseille.

b. Souad s'est enfuie avec une jeune fille.

c. Elle parle un peu français.

d. La mère d'Adrien fait de nouvelles recherches sur Internet.

e. Adrien comprend bien la réaction de Souad.

2. Répondez.

a. La famille Le Coëdec est solidaire avec Idriss et sa sœur. Quelles sont leurs réactions ?

Ils sont déterminés à la trouver

b. Quelle information Juliette obtient-elle à la fin du chapitre ?

Souad est arivée au centre

3. Complétez les phrases.

a. Pendant l'attente, Idriss :

- [x] se renferme sur lui-même.
- [ ] parle beaucoup avec ses amis.
- [ ] vient souvent à la ferme.

b. Adrien :

- [x] essaie de redonner le moral à son ami.
- [x] lui propose des sorties.
- [ ] n'est pas touché par la tristesse d'Idriss.

Il s'agit bien de Souad et leurs retrouvailles
sont bouleversantes de tendresse.

CHAPITRE 6 Nouvelle vie

Il s'agit bien de Souad et leurs retrouvailles sont bouleversantes de tendresse. Juliette et Adrien laissent quelques heures les deux adolescents seuls, pleurer dans les bras l'un de l'autre. En parlant à une assistante sociale, ils apprennent que Souad sera confiée à un centre pour jeunes orphelins, à Lyon, et qu'elle recevra des papiers provisoires avant l'été.

Depuis son retour de Lyon, Idriss est fou de joie à l'idée que sa sœur viendra bientôt le rejoindre à Lannion. Pendant les deux mois qui suivent, il communique avec elle par SMS, tous les jours. Son attitude a changé et il a retrouvé le sourire : il parle de nouveau à ses copains de classe et accepte volontiers de se joindre à eux à la sortie des cours. Il vient maintenant tous les dimanches à la ferme et se révèle être une aide précieuse pour Pierre et Juliette.

À la fin de l'année scolaire, Idriss prend une grande décision et se confie à Adrien :

– Adrien, tu sais, je voudrais travailler dans une ferme, dans les champs, ça me manque. J'aurai dix-huit ans dans quelques semaines et je pourrai ainsi quitter le centre. Ma sœur viendra bientôt me rejoindre et je voudrais qu'elle ait une vie plus facile, qu'elle étudie et fasse aussi ce qui lui plaît.

– Tu veux arrêter le lycée ? Mais ce serait dommage, tu réussis plutôt bien.

– Non, vraiment, j'ai bien réfléchi : je veux gagner ma vie et offrir à ma sœur ce dont elle aura besoin pour vivre ici. Dis, tu crois que ton père aurait un travail pour moi ?

– Bon, je vois que ta décision est prise. Ce serait super que tu travailles à la ferme. Si tu veux, je vais en parler à mon père.

Pierre est ravi de cette décision. Sa petite idée était en effet de recruter Idriss comme employé agricole car il montre de bonnes prédispositions et s'entend bien avec la famille.

Les démarches avancent vite et au début de l'été, Souad est envoyée dans un centre d'hébergement pour jeunes mineures, proche de Lannion. Le frère et la sœur se retrouvent de nouveau avec une grande émotion. Ils passent beaucoup de temps ensemble

à se raconter leur parcours différent. Idriss est intarissable sur l'amitié qu'il porte à Adrien, ainsi que sur le réconfort et l'amour qu'il a trouvés dans la famille Le Coëdec. Il lui expose également ses projets de travailler avec eux, dès septembre. Ils commencent à **échafauder** ensemble une nouvelle vie mais en attendant, Souad devra avant tout apprendre le français, aller en classe et habiter dans le foyer jusqu'à sa majorité. Puis elle devra suivre une formation pour apprendre un métier.

***

échafauder : *construire.*

La famille Le Coëdec invite souvent les deux adolescents à la ferme et Juliette commence à enseigner le français à Souad. Assidue, brillante, elle progresse rapidement. À la rentrée prochaine, elle entrera dans une classe d'accueil pour intégrer petit à petit le collège.

Dès septembre, Idriss quittera définitivement le centre et viendra habiter dans un studio de la ferme où logeait le dernier ouvrier agricole. Idriss est ravi de cet arrangement qui lui permettra de rester proche d'Adrien. Si le centre le permet, Souad pourra ainsi lui rendre visite et habiter chez lui pendant les vacances.

Adrien, de son côté aussi, a bien réfléchi : devant l'enthousiasme de son ami pour les travaux de la ferme et après avoir suivi les conseils de son père, il commence à y prendre goût et accepte volontiers de donner un coup de main pour aider et ainsi décharger sa mère. C'est la période de la **moisson** de l'orge, qui servira de nourriture aux vaches cet hiver. Il apprend à conduire le tracteur et son père se réjouit de voir ce **revirement** qu'il n'espérait plus. Au plus profond de lui-même, Adrien se dit qu'étudier l'élevage et reprendre plus tard l'exploitation ne serait peut-être

moisson : *récolte des céréales.*
revirement : *changement total.*

famille Le Coëdec invite souvent
; deux adolescents à la ferme.

pas une mauvaise idée. Cette décision ne change rien à sa passion pour le dessin et il se met à dessiner des vaches sur les traces de **Boudin**, qu'il a découvert au cours d'arts plastiques. Mais en attendant, il garde ce projet secret. Il poursuivra la fin de ses études au lycée pour peut-être choisir, en dernière année, la filière agricole dans un lycée près de Trévou. Idriss est aussi pour quelque chose dans cette nouvelle orientation ; ce serait super de travailler avec lui dans quelques années…

Eugène Boudin : *peintre du XIXe siècle qui a peint beaucoup de paysages avec des vaches.*

COMPRENDRE

1. Remettez dans l'ordre.

a. Elle apprendra un peu le français avec Juliette.
b. Elle recevra des papiers provisoires.
c. Elle fera des études pour apprendre un métier.
d. Elle sera hébergée dans un centre d'accueil près de Lannion.
e. Elle entrera dans un collège à Lannion.
f. Après sa majorité, elle rejoindra son frère.
g. Souad sera accueillie dans un centre pour orphelins à Lyon.

2. Reliez.

Associez les éléments pour rétablir les phrases.

a. À la fin de l'année scolaire, Idriss...
b. Idriss souhaite...
c. En septembre, Idriss...
d. Pendant l'été, Idriss et sa sœur...
e. Adrien commence...

1. ... travailler à la ferme.
2. ... à s'intéresser à l'élevage.
3. ... se retrouvent souvent à la ferme.
4. ... viendra habiter à la ferme.
5. ... décide d'arrêter ses études.

3. Répondez.

a. Où Souad passe-t-elle l'été ? Que fait-elle ?

....

b. Comment Idriss vivra-t-il dès la fin de l'été ?

....

c. Quelle décision tenue secrète Adrien prend-il pour son avenir ?

....

1. Imaginez...

- Imaginez la vie à venir de Souad et d'Idriss.
- Pourrait-il y avoir une histoire d'amour entre Adrien et Souad ? Comment l'envisageriez-vous ?

2. Réfléchissez...

Pensez-vous que l'intégration de jeunes réfugiés soit plus facile à la campagne qu'en ville ?

3. Discutez...

- Il y a peut-être des jeunes réfugiés dans votre ville. Avez-vous déjà pensé à être bénévole dans une association ?
- Votre établissement scolaire pourrait-il s'engager dans ce genre d'action ? En tant que lycéens, organisez en classe une table ronde pour venir en aide à des réfugiés mineurs.

4. Écrivez...

Préparez une lettre adressée au service social de votre municipalité pour proposer un plan d'action afin de venir en aide à des jeunes réfugiés.

CORRIGÉS

Page 3
3. solidarité ; partage ; bienveillance ; aide ; discussion.

Page 11
1. **a.** au lycée le jour de la rentrée ; **b.** au dessin.
2. **a.** Il est habillé d'une façon différente, un peu traditionnelle ; **b.** Il ne communique pas beaucoup mais suit bien les cours ; **c.** À la suite d'une chute, à l'infirmerie.
3. **a.** faux ; **b.** vrai ; **c.** faux ; **d.** faux ; **e.** vrai.

Page 18
1. **a.** aux vacances de la Toussaint ; **b.** bien : les parents font un bon accueil à Idriss ; **c.** de se retrouver dans une ferme et par ses souvenirs de sa vie en famille en Syrie ;
2. a ; c ; h ; i ; f ; e ; l ; b ; g ; k ; d ; j.

Page 25
1. a. ; b. ; e.
2. **a.** faux ; **b.** vrai ; **c.** faux ; **d.** faux ; **e.** vrai ; **f.** faux ; **g.** vrai ; **h.** faux ; **i.** vrai.
3. **a.** en Italie ; **b.** dans un camp gardé ; **c.** inquiet.

Page 32
1. b. ; c.
2. **a.** Il a peur que sa sœur n'arrive pas à quitter l'île de Lampedusa ou que le bateau chavire et qu'elle meure en mer ; **b.** Parce qu'ils préfèrent vérifier ces informations avant d'en informer Adrien, qui rapporte tout à son ami.
3. **a.** 15 ans ; **b.** ne ressemble pas du tout ; **c.** est arrivée.

Page 39
1. b. ; d.
2. **a.** Ils font des recherches pour retrouver Souad sur Internet et ils envoient son signalement. **b.** Un centre social de Lyon a retrouvé la jeune fille.
3. **a.** se renferme sur lui-même ; **b.** essaie de redonner le moral à son ami.

Page 46
1. g. ; b. ; d. ; a. ; e. ; c. ; f.
2. **a.** 5 ; **b.** 1 ; **c.** 4 ; **d.** 3 ; **e.** 2.
3. **a.** Elle est logée dans un foyer à Lannion et vient souvent à la ferme où elle s'entend bien avec Juliette. Elle commence à apprendre le français avec elle. **b.** Il travaillera avec Pierre et il vivra dans un petit studio dans la ferme. **c.** Il songe à étudier l'agronomie pour travailler à la ferme avec ses parents et son ami Idriss.

Imprimé en France en avril 2019 par Clerc à Saint-Amand-Montrond
N° d'éditeur : 10250132